MÁIRTÍN

MÁIRTÍN

Siobhán Ní Shúilleabháin

Cló Iar-Chonnachta
Indreabhán
Conamara.

An Chéad Chló, 1994
Cló Iar-Chonnachta Teo., 1994

ISBN 1 874700 57 5

Clúdach agus Léaráidí:
Siobhán Ní Shúilleabháin

Dearadh:
Foireann CIC

Faigheann Cló Iar-Chonnachta Teo. cabhair airgid ón **gComhairle Ealaíon**

Clóchur: Cló Iar-Chonnachta Teo., Indreabhán, Conamara. Fón: 091-93307 Facs: 091-93362
Priontáil: Clódóirí Lurgan Teo., Indreabhán, Conamara, Fón: 091-93251/93157

Leis an údar céanna agus ó Chló Iar-Chonnachta:

Mise Mé Féin, 1987
Eoghan, 1992

MÁIRTÍN

Theastaigh madra ó Mháirtín. Madra a thiocfadh go dtí an scoil tráthnóna agus a luífeadh lasmuigh den ngeata ag feitheamh leis, faoi mar a dheineadh madraí na mbuachaillí eile ina rang. Óna dó a chlog chífeá ag teacht iad ó gach treo, ón tsráid síos ón scoil, ón mbloc árasán thall, ón eastát tithíochta nua thuas, gach aon tsórt madra – beag agus mór, dubh, bán agus breac.

Conas go mbíodh eolas acu ar an am ceart le teacht? Ní fios. Conas go mbíodh eolas acu ar cá raibh an scoil? Ní fios. Ach thagaidís, ceann ar cheann acu, agus luídís go ciúin in aice na ráillí ar dhá thaobh an gheata ag feitheamh. Agus ansin ar a trí, nuair a ligtí amach na buachaillí, léimeadh gach aon mhadra acu go háthasach go dtí a mháistir féin, agus thosaíodh ag lútaíl timpeall air, agus ag léimneach in airde air, agus ag lí a aghaidhe, agus ansin rithfeadh sé roimhe amach mar a bheadh sé á threorú abhaile.

Bhí aithne ag Máirtín orthu go léir. Rover agus Patch, Fido agus Bran, Scott agus Blackie, agus eile. Ach cén sórt madra a ba mhaith leis féin? Ba dheas leis an madra beag breac a bhí ag a chara Marc – Rover – cé go mbíodh sé i gcónaí ag rith i ndiaidh cat. Bhíodh an-spórt acu araon ag fiach leis i gCoill Jacob chuile Shatharn. Ach ansin arís, ba bhreá leis an dá mhadra mhóra caorach a bhí ag Uncail Searlaí i gCill Dara, go mbíodh sé ag imirt leo sa samhradh agus é ar saoire ann – Sailor agus Tramp. Dáiríre, ní raibh a fhios aige. Ba chuma leis ach madra dá chuid féin a bheith aige. Sin a raibh uaidh, Nollaig ar Nollaig, lá beirthe ar lá beirthe, ach ba é an freagra céanna a gheobhadh sé i gcónaí.

"Ní bhfaighidh tú madra, a Mháirtín, fad atáimid inár gcónaí san árasán," a deireadh Daidí, "ní haon áit árasán do mhadra."

"Bíodh foighne agat, a Mháirtín," a deireadh Mamaí, "ní fada anois go mbeidh an teach réidh."

San eastát nua a bhí an teach. Gach aon tSatharn théadh Máirtín agus a Mhamaí agus a Dhaidí ag féachaint air, na ballaí loma ar dtús, ansin na ballaí agus an díon, agus anois bhí na fuinneoga istigh agus an phláistéireacht agus eile á ndéanamh. Bhí daoine ina gcónaí cheana féin sna tithe eile a bhí críochnaithe, agus iad ag réiteach na ngairdíní. Agus sa teach béal dorais, bhí cónaí ar chara Mháirtín, Marc. Fad a bhíodh a thuismitheoirí ag féachaint ar an teach, théadh Máirtín agus Marc agus Rover go híochtar an eastáit, mar a raibh Coill Jacob.

"Ó, dá mbeadh mo mhadra féin agam," a deireadh Máirtín ar an tslí abhaile. "Ba bhreá liom fanacht sa choill ar feadh an lae le Marc agus Rover. Tá sé chomh deas ann. D'fhéadfaimis ceapairí a thabhairt linn ann. D'fhéadfaimis tine a lasadh agus tae a dhéanamh, agus breith ar iasc sa loch ann, agus é a róstadh ar an tine."

"A Mháirtín," a deireadh Daidí, "níl sé ceadaithe dúinn madra a bheith againn san árasán."

"Ach tá madraí ag tionóntaí eile – agus cait . . ."

"Tá siad ag briseadh na rialacha," a deireadh Mamaí. "D'fhéadfaí teacht am ar bith, na hainmhithe a thógáil uathu, agus iad féin a chur amach leis. Conas a ba mhaith leatsa a bheith caite amach ar thaobh an bhóthair agus gan ár dteach nua réidh fós?"

Agus ansin, aon lá amháin dúirt a Mhamaí le Máirtín go mbeadh sí ag dul chun an ospidéil ar feadh cúpla lá, agus go gcaithfeadh sé féin a bheith ina bhuachaill maith agus cabhrú lena Dhaidí timpeall an tí.

"Ospidéal?" a deir Máirtín, "níl tú tinn?"

"Níl in aon chor," a deir sí, "táim ag dul ann le haghaidh páiste a bheith agam. Cé acu a b'fhearr leat, dearthá irín nó deirfiúirín?"

Níor mhaith le Máirtín ceachtar acu, cé nár theastaigh uaidh é sin a rá. Páiste, a bheadh ag gol is ag gol, de lá agus d'oíche, chaithfeadh sé féin bheith ag tabhairt aire dó, agus ag coimeád buidéal leis. Bheadh clúidíní linbh i ngach aon áit, pram, cruib shúgartha agus cairt pháiste, útamáil – nach breá go raibh slí san árasán do pháiste agus gan slí ann do mhadra!

Ach nuair a chonaic Máirtín a dheirfiúirín óg san ospidéal, scéal eile a bhí ann. Bhí sí lag, agus caitheadh í a choimeád san ionad dianchúraim. Ní raibh aon chead ag Máirtín dul in aici léi, ach d'ardaigh a Dhaidí é suas go dtí fuinneog a bhí ann, agus chonaic sé uaidh isteach í, istigh i gcás gloine, ruidín beag nocht, casta in olann chadáis, clog beag ceangailte dá droim, agus píb fhada amach as a srón – agus líon a chroí le trua di – agus le grá.

"An mbeidh sí *alright*, a Dhaidí?"

"Beidh, le cúnamh Dé. Tá aire mhaith á tabhairt di ag na banaltraí."

"Ach – an phíb sin ina srón – nach ngortaíonn sí í?"

"Ní ghortaíonn. Chun bainne a thabhairt di í

sin. Níl sí ábalta é a shúrac í féin fós as buidéal. Tugann an phíb sin an bainne síos isteach ina goile."

"Cathain a bheidh sí ábalta súrac? Cathain a bheidh sí ag teacht abhaile? An bhféadfadsa buidéal a choimeád léi ansin?"

"Cífimid – nuair a thiocfaidh sí abhaile."

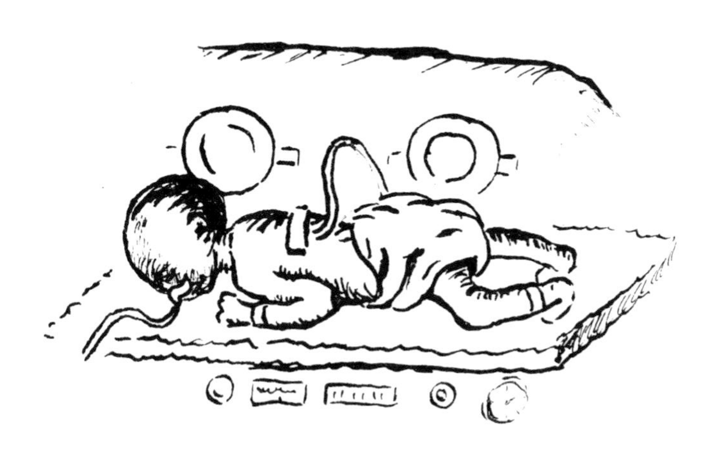

Agus nuair a tháinig sí, bhí oiread sin sceitimíní ar Mháirtín fúithi, níor chuimhnigh sé a thuilleadh ar an madra. Aoife a thugadar uirthi. Bhí sí an-ghleoite, súile móra gorma aici, agus cúpla ribe gearr de ghruaig rua, agus ní bhíodh sí ag gol puinn in aon chor. Ní fada go raibh aithne aici ar Mháirtín agus bhíodh sí ag gáire leis nuair a thagadh sé ón scoil. Agus an chéad rud eile a tharla, bhí an teach nua réidh, agus bhíodar ag aistriú isteach ann.

Rover a fheiceáil uaidh siar i ngairdín Mhairc, ag rásaíocht timpeall agus timpeall, a chuir Máirtín ag smaoineamh arís ar an madra. Ach bhí a athair chomh gnóthach anois ag socrú an tí, ag fáil brait urláir agus troscán dó, agus a mháthair chomh gnóthach le hAoife, níor mhaith leis aon ní a rá. Cinnte an Nollaig a bhí chugainn, chuimhneoidís féin ar an madra.

Ach tháinig an madra níos túisce ná mar a bhí coinne leis.

Labradór óg a fuair athair Mháirtín ag imeacht ar strae, agus ar thug sé abhaile é le trua dó.

"Níl aon tuiscint do thrácht aige," a deir sé, "shiúil sé amach i lár an bhóthair – is beag nár mharaíos é. Agus tá ocras air. Tabhair bia dó, a Mháirtín, agus socraigh leaba dó áit éigin – ach ná héirigh ceanúil air anois, mar ní linn é. Madra luachmhar is ea é, agus is cinnte go bhfuil duine éigin á lorg. Cuirfimid fógra mar gheall air sna páipéir."

Chuireadar – ach níor tháinig éinne ag lorg

an mhadra. Bhí Máirtín ag guí nach dtiocfadh, nach gcífidís an fógra. D'imigh seachtain, d'imigh coicís. Fós níor tháinig éinne.

"Ní thuigim an scéal," a deir Daidí.

"Tuigimse," a deir Mamaí. "Leanbh éigin a fuair um Nollaig é ina choileán beag bídeach, ach anois tá sé faighte rómhór, ró-ainnis don líon tí. B'fhéidir gur in árasán atáid."

"Agus – chaitheadar amach é – díreach mar sin?" a deir Máirtín. "Ba chuma leo carr á leagan – nó é bás a fháil den ocras?"

"Ó, tarlaíonn sé go coitianta. Tugaid i bhfad ón teach é agus ligid leis, agus ní bhíonn an madra ábalta a shlí a dhéanamh ar ais. Bíonn coileáinín beag an-deas – ach rud eile madra mór ainnis."

"B'fhéidir go bhfuil an ceart agat," a deir Daidí. "Dá mba madra é a d'imigh ar strae, bheadh bóna air go mbeadh ainm agus seoladh an té gur leis é air. Ach fanfaimid tamall eile."

D'imigh trí seachtaine. Níor tháinig éinne.

"Bhuel, a Mháirtín," a deir Daidí, "is cosúil go bhfuil do mhadra faighte agat!"

Agus a leithéid de mhadra! Buíbhán a bhí sé, agus súile móra donna aige, é mór ard, cumtha, córach, díreach cosúil leis na madraí a bhíonn ag na daill chun iad a threorú thart. Agus bhí sé chomh cneasta le hAoife bheag. Nuair a bhíodh sí ar ghlúin Mhamaí, thagadh sé chuici, agus bhíodh sé ag lí a cos.

B'fhada le Máirtín go dtabharfadh sé ar scoil é, agus go gcífeadh na buachaillí eile é. Ní raibh madra chomh breá leis ag éinne acu. An chéad rud a dhein sé, bóna leathair a cheannach dó, agus ainm agus seoladh an tí a scríobh laistigh dó. An dara rud, ceadúnas a cheannach dó. Agus an tríú rud, é a thabhairt chuig tréadlia chun instealladh in aghaidh galair dhifriúla a fháil. Ansin bhí sé sásta. Agus nach é a bhí mórálach as nuair a chonaic na buachaillí eile é. Bhíodar go léir cruinnithe timpeall air, á bhreithniú agus á mholadh. Agus an madra féin ina sheasamh go huaibhreach, ag féachaint uaidh síos ar na madraí eile faoi mar a bheadh rí ann. Sin é an uair a rith sé le Máirtín cén t-ainm a thabharfadh sé air: Rex.

An Satharn a bhí chugainn, thug sé féin agus Marc an lá go léir i gCoill Jacob leis an dá mhadra, Rex agus Rover. Bhíodar ag fiach coiníní ann, ach níor rugadar ar aon cheann. Bhíodar ag iascaireacht sa loch ann, ach níor rugadar ar aon iasc. Mar sin féin, bhí an-lá acu, agus bhí sé beagnach dorcha nuair a thugadar faoin mbaile, tuirseach, tnáite.

Bhí Rex bréan, salach. Cé gur thug Máirtín

níochán maith sa loch dó, bhí díog phludach ar an tslí abhaile, agus dar ndóigh, chonaic Rex é, agus léim isteach ann in ainneoin Mháirtín.

"Sin é an mianach atá ann," a deir Máirtín. "Is breá leis uisce, glan nó salach. Ach ní bheidh Mamaí róshásta nuair a chífidh sí é. Cuirfidh sí iachall orm níochán eile a thabhairt dó laistiar den doras. Ó, a Rex, nach tú an dua dom!"

Ach ní mar sin a tharla, mar ní raibh Mamaí sa teach roimis, ná Daidí, ná Aoife. Agus bhí an glas ar an doras.

"A Mháirtín!" Ghlaoigh máthair Mhairc air ó bhéal a dorais féin. "Gabh anseo isteach, a mhic. Chaith d'athair agus do mháthair Aoife a thabhairt ar ais chun an ospidéil – ní raibh sí rómhaith. Féadfairse do chuid tae a bheith agat anseo le Marc, agus fanacht anseo go dtiocfaidh siad ar ais."

Bhí teach Mhairc difriúil ar fad lena theach féin. Marc b'óige – bhí triúr deirfiúr agus beirt dearthâir aige, iad ar fad fásta. Bhíodar anois á n-ullmhú féin chun dul amach i gcomhair na hoíche, gúnaí á n-iarnáil, gruaig á ní, argóintí ar siúl faoi úsáid an tseomra folctha, agus eile. Ach bhí máthair Mhairc go deas, thug sí tae breá dóibh, agus ansin chuadar isteach chun an tseomra suí ag feáchaint ar an teilifís. Mar sin féin b'fhada le Máirtín go dtiocfadh a thuismitheoirí ar ais le hAoife.

A athair a tháinig ar deireadh, ina aonar.

"Caithfidh Aoife fanacht san ospidéal tamall," a deir sé "agus tá Mamaí ag fanacht ina teannta."

"An mbeidh sí i bhfad san ospidéal?"

"Níl a fhios againn fós. Táid chun tástálacha áirithe a dhéanamh uirthi. Tá sí tinn go leor faoi láthair, ach tá sí san áit cheart chun aire a fháil."

Bhí an teach an-chiúin gan Aoife. Chuir sé uaigneas ar Mháirtín a pram agus a bréagáin bheaga a fheiceáil thart, agus a cuid buidéal bainne ar dhoirteal na cistine . . .

Thóg Daidí seachtain saoire óna chuid oibre, agus sin é a chócarálaíodh an dinnéar gach tráthnóna. Ní bhíodh an dinnéar ródheas, ach d'itheadh Máirtín é – bhuel, a fhormhór; an méid nach bhféadfadh sé a ithe, thugadh sé i ngan fhios é do Rex a bhí luite faoin mbord. Chuile oíche théadh sé féin agus Daidí chun an ospidéil.

An oíche áirithe seo, bhí Mamaí rompu sa doras agus í trína chéile.

"Níl sí níos measa?" a deir Daidí.

"Níl – ach caithfidh sí obráid a bheith aici – i

Londain. Caithfidh mé í a thabhairt ann arú amárach."

"Raghadsa sall i bhur dteannta," a deir Daidí.

"Ach cad mar gheall ar Mháirtín?" a deir Mamaí.

"Beadsa ceart go leor sa bhaile," a deir Máirtín.

"Ní fhéadfaimid tú a fhágáil leat féin sa teach," a deir Daidí. "Déanfaimid socrú eile fút."

* * * *

"Féadfaidh Máirtín fanacht anseo linne," a deir máthair Mhairc an oíche sin. "Cuirfidh mé tocht ar an urlár dó i seomra Mhairc."

"Go raibh míle maith agat," a deir Daidí, "ach tá bhur ndóthain féin sa teach. Féadfaidh sé dul go dtí a uncail i gCill Dara. Téann sé ann chuile shamhradh agus is breá leis é."

Ach an oíche sin, cé a thiocfadh ar cuairt chun an tí ach Aint Síle, a mháthair bhaistí.

"Ná bí ag aistriú Mháirtín ón scoil i lár an téarma," a deir sí le Daidí, "nach bhféadfadh sé fanacht liomsa? Ó, tá a fhios agam, táim i mo chónaí ar an taobh eile den chathair, ach tá bus ag bun an bhóthair a bhéarfadh ar scoil é."

"Ach árasán atá agat," a deir Daidí.

"Tá dhá sheomra codalta ann, agus níl ann ach mé féin."

"Ach – a – tá madra ag Máirtín."

"Ó. Á, bhuel, nach bhféadfaí an madra a chur isteach áit éigin – tá áiteanna a thugann aire do mhadraí . . . "

"Ní fhéadfainn Rex a chur uaim," a deir Máirtín. "Deineadh é sin cheana leis. Tabharfaidh mé liom é go dtí Uncail Searlaí. Beidh an-spórt aige ag súgradh le Sailor agus Tramp."

"Agus beidh an-spórt agatsa gan aon scoil," a deir Aint Síle. "Tá go maith. Feádfaidh an madra teacht. Níl cead madra a choimeád, ach fear réasúnta é an t-úinéir, agus míneoidh mé an scéal dó. Ní bheidh ann ach cúpla seachtain. Téigh agus bailigh do chuid éadaigh anois, a Mháirtín, agus aon ní eile a bheadh uait – do mhála scoile agus do sheanmhadra – agus beimid ag imeacht."

An tslí ar ghlaoigh sí 'seanmhadra' air, agus de réir an tréadlia, ní raibh sé dhá bhliain fós, ba cheart go dtuigfeadh Máirtín cad a bhí le teacht. Mar ní raibh sé dhá lá san árasán, nuair a chuimhnigh sé ar an rud a deireadh Daidí – nárbh aon áit árasán do mhadra.

Go háirithe árasán Aint Síle. Ó, bhí Aint Síle an-deas. Ní dhearmadadh sí choíche um

Nollaig é, ná ar a lá beirthe, agus cé gur leabhair is mó a thugadh sí dó, leabhair áillne a bhíodh iontu. Ach rud eile ar fad é bheith ag maireachtáil ina teannta. Na horduithe a bhíodh aici air! Dein seo, ná dein siúd, bain díot do bhróga, cuir ort do shlipéir, suigh díreach sa chathaoir sin, sín siar díreach sa leaba sin, tóg do lámha as do phócaí, ísligh an raidió sin, múch an teilifís sin go dtí go mbeidh d'obair bhaile déanta agat – agus déanta i gceart! Scrúdaíodh sí, agus cheartaíodh sí an obair bhaile gach aon oíche – agus go minic chaitheadh sé é ar fad a athdhéanamh. Scoil ar scoil, agus scoil eile ag an mbaile, sin é mar a bhí aige. Agus ní fhéadfadh sé faic a rá. Nuair a labhraíodh a Dhaidí leis ar an bhfón ó Londain, deireadh sé i gcónaí go raibh chuile shórt i gceart.

Marc féin, bhíodh sé in éad leis nuair a chíodh sé na ceapairí deasa feola, agus an t-úll mór dearg a chuireadh sí ina mhála chun lóin.

"Ó, a Mháirtín, nach leat atá an t-ádh," a deireadh sé. "Féach mise – margairín atá ar mo chuid aráin inniu. Roger sin, mo dheartháir críonna, tá a fhios agat, chríochnaigh sé an t-im go léir aréir – agus an cháis a bhí ag Mam dom. Ní sheasódh úll mar sin dhá nóiméad sa teach againne agus Roger timpeall."

Ach sé an tslí a bhíodh Aint Síle le Rex a chráigh ar fad Máirtín. Ní tugadh sí riamh air ach an seanmhadra sin. Chaitheadh sé fanacht istigh faoin mbord sa chistin i gcónaí, cé go raibh taithí aige ar chodladh thíos faoi leaba Mháirtín istoíche. An chéad oíche a bhí sé ann, bhí uaigneas air, agus nár shalaigh sé an t-urlár ann, rud nár dhein sé riamh sa bhaile!

"A leithéid de rud a bheith romham nuair a d'éiríos anuas!" a deir Aint Síle, "agus an boladh a bhí uaidh! Tá an boladh ann fós, cé gur úsáideas buidéal mór díghalráin á ghlanadh. Nílim ábalta mo bhricfeasta a ithe aige. Seanmhadra salach is ea é!"

Gach aon mhaidin ina dhiaidh sin, d'éiríodh Máirtín roimpi chun go nglanfadh sé féin é má bhí aon ní déanta ag Rex – ach ní bhíodh.

Ansin tráthnóna, bhí taithí ag Rex dul don seomra suí le Máirtín, ag féachaint ar an teilifís sula dtagadh Aint Síle abhaile. Thugadh Máirtín isteach ina bhaclainn é, agus choinníodh ar a ghlúin é. Níor lig sé do luí ar an tolg, nó fiú siúl ar an urlár. Ach ar chuma éigin, chuaigh cuid d'fhionnadh Rex ar an tolg, agus toisc an tolg féin a bheith buíbhán, níor thug Máirtín faoi deara é. Ach oíche amháin, bhí cara d'Aint Síle ar cuairt aici, agus nuair a d'éirigh sí den tolg, bhí an sciorta deas dubh a bhí uirthi lán d'fhionnadh an mhadra !

"An seanmhadra sin!" a deir Aint Síle. "Tá a chuid fionnaidh i ngach aon áit! Níl cead aige teacht anseo isteach ar chor ar bith, ní áirím suí ar an tolg! A Mháirtín, ar fhágais doras an tseomra suí oscailte?"

"Níor fhágas, a Aint . . ."

"Ar choinnís doras na cistine dúnta?"

"Choinníos, choinníos, a Aint . . ."

Ní dúirt sí a thuilleadh, ach bhí a fhios aige go raibh an gomh uirthi. Rex bocht – cén leigheas a bhí aige sin air má bhí a chuid fionnaidh ag sileadh leis? Nach mar sin a dhein Dia é?

An lá ina dhiaidh sin, níor thóg sé Rex leis isteach sa seomra suí, ach thug sé cnámh a fuair sé ón mbúistéir dó le hithe faoin mbord. Ní fada, áfach, gur éirigh Rex tuirseach den chnámh. Thosaigh sé ag sceamhaíl ar Mháirtín – bhí a fhios aige go raibh sé sa seomra suí. Níor lig Máirtín air gur chuala sé é. Ach nuair a tháinig sé ar ais ón gcistin, is ansin a chonaic sé an t-uafás! Mar ní hamháin go raibh Rex ag sceamhaíl ach bhí sé ag scríobadh doras na cistine ag iarraidh é a oscailt! Bhí an doras scríobtha, stróicthe aige. Nuair a tháinig Aint Síle abhaile, agus nuair a chonaic sí é, bhí an gomh dearg uirthi! Cad nach ndúirt sí le Rex, agus mar gheall ar Rex! Ar deireadh, ní fhéadfadh Máirtín é a sheasamh a thuilleadh. Thug sé Rex amach ag siúl agus níor tháinig ar ais leis go dtí go raibh sé dorcha. Ba bhreá leis gan teacht ar ais in aon chor. Ach cá rachadh sé? Chuimhnigh sé ar a Uncail Searlaí i gCill Dara, agus an saol breá a bheadh aige ann, agus an scóp a bheadh ag Rex i dteannta an dá mhadra eile, timpeall an tí, timpeall an bhuaile, timpeall na ngort . . . Ó, nárbh é an trua nach ansin a chuir a athair é! Agus nárbh é an trua a athair agus a mháthair a bheith chomh fada sin ó bhaile le hAoife!

Ghlaodh a athair air go rialta ar an nguthán.

"Tá súil agam go bhfuil tú i do bhuachaill maith do d'aint," a deireadh sé, "ní fada eile a bheidh tú léi. Caithfear Aoife a neartú roimis an obráid, agus chomh luath a bheidh an obráid di aici, tiocfadsa féin abhaile. Tá jab agam le coimeád, tá a fhios agat."

Ach dá mhéid aire a bhí Máirtín ag tabhairt do Rex, fós bhí sé ag déanamh díobhála. Na buidéil bhainne, cuir i gcás. Thugadh Máirtín siúlóid bheag dó ar maidin roimh scoil, agus an mhaidin áirithe seo, bhí sé scaoilte amach roimis aige, agus é díreach chun an doras a dhúnadh nuair a chuimhnigh sé go raibh a eochair fágtha sa seomra leapa aige. Isteach leis ar ais ag triall uirthi – ní raibh sé imithe ach ar feadh nóiméid – ach sa nóiméad sin féin, bhí an barr bainte ag Rex den dá bhuidéal bhainne a bhí fágtha cois an dorais, agus bhí an t-uachtar ólta aige díobh! Cad a dhéanfá le madra mar sin!

"Ó, a Rex," a deireadh Máirtín leis, "nach dtuigeann tú fós an scéal? Ní hé seo ár mbaile. Is é seo árasán Aint Síle – agus ní maith le hAint Síle madraí. Sea, Rex, aisteach go leor, tá daoine ann nach maith leo madraí, agus duine acu í sin! Mar sin, cad ina thaobh nach mbíonn tú cúramach, agus gan a bheith ag déanamh rudaí as an tslí uirthi? Abair liom go mbeidh tú i do mhadra maith feasta, más é do thoil é, a Rex?"

Agus d'fhéachfadh Rex in airde air leis na súile móra donna sin a bhí aige, faoi mar a bheadh sé a gheallúint dó go mbeadh sé. Bhí leis – ar feadh tamaill. Dáiríre, ní raibh aon leigheas ag Rex ar an gcéad rud eile a tharla. Aisteach go leor, Coill Jacob faoi deara é.

Théadh Máirtín agus Marc ann fós gach Satharn leis an dá mhadra. Ach an Satharn áirithe seo, chuaigh smut de shreang dheilgneach i gcos Rex, agus ghearr í. Nigh máthair Mhairc an chos agus chuir díghalrán uirthi.

"Níl an gearradh domhain," a dúirt sí, "ní bheidh faic air." Ach ní mar sin a tharla. Bhíodh Rex i gcónaí ag lí na coise agus ag gabháil di lena theanga, agus is gearr go raibh paiste mór dearg timpeall ar an ngearradh . . . paiste a thug Aint Síle faoi deara.

"An chlaimhe!" a deir sí, "scaipfidh sin ar fud a choirp. Caithfimid é a thabhairt go dtí an tréadlia láithreach!"

Ach ní hé sin a bhí ann.

"An madra féin atá á dhéanamh seo," a deir an tréadlia. "Caithfidh mé plean a imirt air chun nach bhféadfaidh sé bheith ag gabháil dá chos," agus fuair sé clogad mór geal plaisteach, agus cheangail le strapa leathair timpeall mhuineál Rex é. Bhí cuma chomh haisteach air – mar a bheadh scáth lampa bun os cionn, nó ceannbheart mná rialta!

Ach, má bhí Rex mór agus ainnis san árasán cheana, is measa ná sin a bhí sé anois faoina chlogad mór plaisteach. Bhíodh sé ag sá roimis chuile áit, ag bualadh i gcoinne troscáin, doirse, ballaí, chuile rud – fiú colpaí Aint Síle féin nuair a bhíodh sí ag cócaráil. Agus ní buíoch a bhíodh sí de!

Coicís a chaith sé a chaitheamh sular bhain

an tréadlia de é.

"Conas go raibh gá aige leis?" a d'fhiafraigh Máirtín de, "chloisinnse i gcónaí go raibh leigheas i dteanga mhadra?"

"Tá, leis," a deir an tréadlia, "ach bhí an madra seo trína chéile. Ar chuir aon ní isteach air le déanaí?"

"Bhuel . . ." a deir Máirtín, agus ansin stad sé. Pé locht a bhí aige féin ar Aint Síle, níor mhaith leis bheith ag gearán uirthi le héinne eile. "D'aistríomar ó theach go dtí árasán le déanaí."

"Sin é agat é!" a deir an tréadlia. "Chonaic mé cás dá shaghas cheana. Madra a chodlaíodh de ghnáth ar sheanchasóg lena mháistir. Cuireadh cairpéad nua ar an urlár, agus cuireadh smut breise de faoin madra, in ionad na seanchasóige. Agus gearradh beag a bhí ina chos, agus é beagnach cneasaithe, thosaigh sé ag gabháil de, díreach ar nós do mhadrasa – chaitheas clogad a chur air sin leis."

Anois go raibh an clogad imithe de Rex, bhí sé i bhfad níos socra san árasán. Luíodh sé isteach faoin mbord, agus ní bhíodh gíog as. Cheap Máirtín nach mbeadh a thuilleadh trioblóide leis. Ach bhí dearmad air. Mar is ansin a dhein Rex an rud is measa ar fad – rud a chuir ar Aint Síle a rá maidin áirithe –

"Caithfidh an madra sin imeacht! Sin a bhfuil air! Nílim á choimeád san árasán seo oiread agus lá eile!"

Bhí na focail, agus an tslí a ndúirt sí iad, ag imeacht trí cheann Mháirtín ar feadh an lae sin ar scoil. Nuair a chuir an múinteoir ceist air sa rang, chaith sí an cheist a chur dhá uair sular chuala Máirtín í. Agus ansin féin, ní bheadh an freagra aige di, murach Marc a bhí in aice leis agus a chuir cogar ina chluas.

"Tá rud éigin bunoscionn leatsa inniu!" a deir Marc leis ag am lóin.

Bhí Máirtín agus a bhosca lóin oscailte aige, agus é ag féachaint go smaointeach ar a scáil féin sa chlúid.

"Taispeáin go bhfeicfidh mé cad a thug sí duit inniu – banana agus iógart – agus ceapaire trátaí – agus mála *Tayto* – ó nach breá duit é!" a deir Marc. "Ní raibh an t-arán féin fágtha sa tigh againne inniu i ndiaidh Roger sin aréir – deir Mamaí go bhfuil sí chun an t-arán a choimeád faoina leaba féin gach aon oíche eile! Is maith an rud go bhfuil mo dheirfiúracha ar *diet* – ní itheann siad faic ar maidin. Cén fáth nach bhfuil tú ag ithe? An amhlaidh a dhearmad sí naipcín a chur isteach leis an lón?"

"Níl aon ocras orm," a deir Máirtín. "Seo, ith tusa iad."

Níor ghá dó é a rá an dara huair le Marc.

"Ó, dá bhfaighinnse lón mar seo gach aon lá!" a deir sé, agus sásamh ceart á bhaint aige as. "Níl tú tinn ná aon ní, a Mháirtín?"

"Níl. Níl aon ocras orm, sin uile."

"Bhí bricfeasta mór agat, is dócha. Cad a thugann sí duit – ispíní agus uibheacha rósta agus . . ."

"Ó, éist do bhéal agus lig dom féin!"

Níor labhair Marc arís ar feadh tamaill. Ansin a deir sé, "cén t-am a mbeidh tú ag teacht amárach?"

"Amárach?"

"Sea, amárach an Satharn. Nach mbeimid ag dul chun na coille?"

"Ní bheidh mé ag dul ann amárach."

"Cad ina thaobh?"

"Mar ní fhéadfaidh mé, sin uile."

"Ní ligfidh sí duit, an é sin é?"

Níor fhreagair Máirtín.

"Ach téann tú ann gach aon tSatharn! Ní ligfinnse di mé a stopadh, dá mbeinn i d'áit!"

Ach níl tú, a deir Máirtín leis féin. Tá tú i do chónaí i do theach féin, le d'athair agus le do mháthair, agus le do dheirfiúracha agus dheartháireacha, agus tá do mhadra Rover luite faoi do leaba gach aon oíche, tá a fhios agat go bhfuil do mháthair ceanúil air, agus nach gcuirfidh sí as an teach é.

"Ar fhiafrais di cén fáth?" a deir Marc.

"Cén fáth cad é?"

"Nach bhféadfá dul."

"Dul cén áit?"

"Chun na coille! Níl tú ag éisteacht liom. Céard atá ort inniu, a Mháirtín?"

Ansin buaileadh an clog, agus chaitheadar brostú isteach ar scoil.

Rang ealaíne a bhí anois acu. Thaitin sin le Máirtín. D'fhéadfá bheith ag tarraingt is ag dathú leat, agus ní bheadh éinne ag cur ceisteanna ort. Ach sin é mar is mó a bhí na focail úd ina chluasa – "Caithfidh an madra sin imeacht, sin a bhfuil air!" An tslí a ndúirt sí 'madra', bhí sé níos measa ná 'seanmhadra' mar thugadh sí i gcónaí air, riamh ó thánadar chun an árasáin. Cén fad? Coicís? Trí seachtaine? Mí? Bhí sé chomh fada le bliain, dar le Máirtín. Agus cén fad eile a bheadh ann? Bliain eile? Go deo, deo? Chrith sé. Murach Rex a bheith ina theannta, ní sheasódh sé dhá lá é.

Cad a dhéanfadh sí le Rex, b'in í an cheist. É a thabhairt go dtí Póna na Madraí? Nó é a thabhairt go dtí an tréadlia – agus . . . ní dhéanfadh sí é sin. Agus ní dhéanfadh an tréadlia di é! Ach dhéanfadh sí rud éigin. D'aithin sé é sin ar a glór ar maidin. Bhí sí dáiríre an turas seo, lándáiríre. An mbeadh Rex imithe nuair a rachadh sé abhaile? B'in é mar do b'fhusa di an cúram a dhéanamh. Bhraith sé an fáscadh ar a chroí gur chuimhnigh sé gur ar an Aoine is gnóthaí a bhíodh sí ag an obair, agus go ndeineadh sí siopadóireacht na seachtaine ina dhiaidh sin – ní bheadh am aici aon socrú a dhéanamh faoi Rex.

Gleacaíocht a bhí i rang deiridh an tráthnóna. Agus iad ag feitheamh leis an múinteoir, bhí na leaideanna bailithe ag fuinneoga an halla ag féachaint amach.

"Tá mo cheannsa tagtha, féach thall é . . . " a deir duine acu.

"Agus sin é mo cheannsa síos uaidh."

"Ní fheicim mo cheannsa in aon áit, agus bíonn sí i gcónaí anseo luath!"

Níor fhéach Máirtín amach. Bhí uair ann, agus bhíodh Rex i measc na madraí sin, luite go sásta ag feitheamh leis. Ach anois, bhí Rex cúig mhíle ó bhaile in árasán, ag feitheamh le cad é? Chrom sé agus chuaigh ag ceangal iallacha a chuid bróga gleacaíochta, cé go rabhadar ceangailte cheana aige.

"Nach bhféadfá é a fhiafraí arís di," a deir Marc ina chluas. "Seo leat. Is fearrde do Rex é, seachas bheith ceangailte istigh san árasán sin ar feadh an lae."

"Ní bheidh sé ceangailte istigh. Tabharfadsa amach ag siúl é."

"Ó. Go Plás Mhic Liam, is dócha, ar éill, ar nós na madraí galánta eile, broc-chúnna agus púdail, agus mar sin – agus cóta beag cniotáilte air – bíodh agat mar sin!"

Leis sin tháinig an múinteoir agus thosaigh an rang, agus tar éis an ranga, sula raibh seans ag Marc aon ní eile a rá, bhrostaigh Máirtín amach, agus síos an bóthar go dtí an bus a bhéarfadh trasna an bhaile mhóir é.

Nach mall a bhí an bus ag déanamh an chúrsa! Tráthnóna Aoine agus breis tráchta ar an mbóthar, é ag gluaiseacht agus ag stad, ag gluaiseacht agus ag stad – agus ní raibh riamh oiread deabhaidh abhaile ar Mháirtín.

B'fhada leis go gcífeadh sé Rex.

"Ó Rex, a Rex," a déarfadh sé leis, "cad a bhí ort agus a leithéid de rud a dhéanamh? Cé mhéid uair atá sé ráite agam leat a bheith go maith san árasán seo? Cad ina thaobh ar dheinis é? Ní ocras a bhí ort. Thugas dinnéar maith aréir duit. D'fhágas cnámh dheas faoin mbord agat i gcomhair na hoíche. Ach bhí a fhios agat an chos chaoireola sin a bheith sa chuisneoir! Chonaicís Aint Síle á cur isteach ann. Chonaicís an tslí ar oscail sí agus ar dhún sí an cuisneoir. Bhí a fhios agat nach raibh agat ach do shrón a shá le cliathán an dorais ann, chun é a bhrú amach. Ach nach raibh a fhios agat nár cheart duit é a dhéanamh?

Cos mhór chaoireola! Ní duitse a fuair Aint Síle í, a phleidhce! Tá cairde léi ag teacht chun dinnéir Dé Domhnaigh. Dóibh sin a fuair sí í! Ach i lár na hoíche, fuairis boladh na feola, agus chuais agus d'osclaís an cuisneoir le do shrón, agus tharraingís amach an chos chaoireola, agus d'ithis a leath, agus loitis an leath eile! Chaith Aint Síle í a chaitheamh sa *bhin*. Agus anois, caithfidh sí cos eile chaoireola a cheannach i gcomhair an Domhnaigh – luach £15 – agus cá bhféadfaidh sí í a choimeád go mbeidh sí sábháilte uaitse? An bhfuil aon ní sa chuisneoir sábháilte uaitse feasta? Ó, a phleidhce, nach dtuigeann tú gur duit féin atá tú ag déanamh na díobhála! Chualais ar maidin í! Bhí sí lándáiríre! "Caithfidh an madra sin imeacht," a dúirt sí, "sin a bhfuil air!" Ach cad atá sí chun a dhéanamh leat, sin í an cheist!"

Go tobann, rith smaoineamh le Máirtín. Ní thabharfadh sé seans di aon ní a dhéanamh le Rex. Thógfadh sé leis Rex, agus san am go dtiocfadh sí ón obair, bheidís araon i bhfad ó bhaile!

Ach cá rachaidís nó conas? Chuimhnigh sé ar a theach féin a bhí ansiúd folamh – nach deas mar a mhairfidís araon ann! Ach bhí sé dúnta suas – agus ar aon slí, sin í an chéad áit a rachadh sí siúd á lorg.

Uncail Searlaí i gCill Dara? Bhí £5 aige a thug a athair dó le heagla go mbeadh gá aige leis. Bhuel, gá a bhí ann anois. Thabharfadh £5 formhór na slí ar an mbus iad, agus shiúlóidís an chuid eile. Ach ansin arís, bhí aithne ag Aint Síle ar Uncail Searlaí, ghlaofadh sí air ar an nguthán, agus ansin rachadh sí go Cill Dara, agus thabharfadh sí ar ais é. An dtuigfeadh Uncail Searlaí an scéal dá míneodh sé rudaí dó? An dtuigeann éinne fásta do leanaí? B'fhiú é a thriail ar aon slí.

Bhí leoraí mór fada ag gabháil thar an mbus agus é ualaithe le seideanna réamhdhéanta adhmaid. Ceann acu sin a fuair a athair don ghairdín cúil, chun an gearrthóir féir agus útamáil eile a choimeád ann. An seid sa ghairdín cúil! Ansin a rachadh sé! Ní chuimhneodh éinne ar é a lorg ansin. Chuirfeadh sé air cúpla geansaí laistigh dá chasóg, agus bheadh sé féin agus Rex breá te i dteannta a chéile ann. D'fhanfaidís istigh ann i rith an lae, agus thiocfaidís amach san oíche, agus ní bheadh a fhios ag éinne aon ní mar gheall orthu – ach Marc. Chuirfeadh sé tuairisc go dtí Marc ar chuma éigin, agus chabhródh Marc leis. Marc an t-aon duine go bhféadfadh sé muinín a chur ann. Fan – nár chuir Daid glas ar an tseid leis? Sea, ach is ar an mbolta a chuir sé é, agus b'fhurasta an bolta féin a bhaint anuas le scriúire. Bhí a fhios aige cá raibh ceann san árasán.

Den chéad uair ó tharla eachtra chráite na maidine, d'éirigh a chroí ar Mháirtín. Ba chuma leis anois an bus a bheith mall, bhí sé chomh tógtha sin leis an bplean a bhí aige. A mhála scoile – na leabhair a chaitheamh amach as, agus thabharfadh sé leis istigh ann gach aon ní a bheadh uaidh – stáin bhia do Rex, agus rud chun iad a oscailt, arán agus im dó féin agus braon bainne, an scriúire, agus casúr leis – ar eagla gur ghá é – agus geansaí agus bríste breise, dá mbeadh slí aige dóibh. Ní fhágfadh sé an t-árasán go mbeadh sé dorcha, chun nach gcífeadh éinne é, agus bheadh sé féin agus Rex socair suas go sásta sa tseid i ngan fhios d'éinne! Bhí sé chomh gafa sin leis an bplean nár bhraith sé an turas gur shroich an bus ceann cúrsa.

Bhrostaigh sé anuas de, agus síos an tsráid. Bhrostaigh sé suas na céimeanna go dtí an t-árasán. Sháigh sé a eochair sa doras – ach a luaithe agus a d'oscail sé é, bhraith sé go raibh rud éigin bunoscionn. I gcónaí, ligeadh Rex sceamh áthais air ón gcistin. Anois ní raibh ann ach ciúnas. Agus ansin chonaic sé an fhuil. Bhí braonta móra fola scaipthe timpeall fallaí an halla. Rith sé isteach sa chistin. Ní raibh Rex ann – ach bhí fuil – fuil smeartha chuile áit – ar na fallaí, ar an urlár, ar na cupaird, ar an gcuisneoir. Ghlaoigh sé ar Rex ach níor fhreagair ach an ciúnas é. Rith sé ó sheomra go seomra á lorg, faoi na leapacha – istigh sa chupard fiú amháin – ach ní raibh aon rian de Rex in aon áit. Agus ansin chonaic sé an scian sa doirteal, agus rian fola uirthi. Bhraith sé a ghoile ag iompú. Isteach sa leithreas leis, agus chuir sé amach a raibh ina bholg.

Bhí a cheann ina roithleán, agus bhí a theanga tirim ina bhéal. Rex. Mharaigh sí é! Anseo san árasán! Leis an scian! Agus thóg sí léi a chorp sa charr, agus chaith áit éigin é! "Caithfidh an madra sin imeacht, sin a bhfuil air!" Ach ar ghá di é a mharú? Rex bocht, é ag iarraidh teitheadh uaithi timpeall na cistine agus amach sa halla, agus a chuid fola ar sileadh leis – ach fós dhein sí an beart air. Ó Dia linn, nár ghránna í! Nach bhféadfadh sí é a thabhairt go dtí Póna na Madraí, nó áit éigin . . . ach an madra bocht a mharú! Ó, a Rex, a Rex, agus bhíos chun tú a éalú liom uaithi – agus anois, táim ródhéanach . . . Ach nílimse ag fanacht anseo léi. Nílim chun fanacht anseo oiread agus nóiméad eile. Is cuma liom conas a mhairfidh mé, nílim ag fanacht anseo.

Chaith sé amach a chuid leabhar as a mhála. Sháigh sé isteach cúpla geansaí ann agus an nóta £5, an scriúire agus an casúr agus amach leis. D'fhan sé ag máinneáil timpeall an bhaile mhóir go raibh sé dorcha, agus ansin chuaigh sé ar an mbus trasna go dtína shráid féin. Dhein sé a shlí go ciúin tapa aníos an tsráid, siar sa ghairdín cúil, agus bhain an bolta den seid gan éinne á fheiceáil.

Bhí níos mó útamála sa tseid ná mar a cheap sé a bheadh – blocanna adhmaid, cúpla mála guail, píosa mór cairtchláir a tháinig timpeall mheaisín níocháin, cúil seanphacaí. Réitigh sé cúinne dó féin, chas sé é féin istigh sa chairtchlár agus shín siar ann. Mar sin a chíodh sé ar an teilifís daoine a bhí ag codladh amuigh i Londain. Ach ní fhéadfadh sé féin codladh. Gach aon uair a dhúnadh sé a shúile, chíodh sé Rex, agus í siúd ina dhiaidh le scian, agus an madra bocht ag iarraidh éalú uaithi. Chrith sé. Bhí sé leata leis an bhfuacht. Dá mbeadh Rex ina theannta anseo, choinneoidís a chéile te. Rex bocht – bhraith sé a ghoile ag iompú chuile uair a chuimhnigh sé air. Aon ní amháin, ní bheadh gá aige féin le greim bídh go deo arís . . .

D'éirigh sé amach arís as an gcairtchlár agus d'fhéach amach an fhuinneog. Bhí soilse lasta sna cistineacha ar fad timpeall. Máithreacha ag réiteach suas tar éis béile an tráthnóna. Leanaí ag déanamh a gcuid obair bhaile. Bhí a theach féin dubh dorcha.

Cad é seo? Lasadh solas i seomra Mhairc in airde. Ní hamhlaidh a bhí Marc ag dul a chodladh cheana féin? Ní dócha é, ach Roger a bhí in aon seomra leis bheith á ullmhú féin chun dul amach. Sea, gan dabht, oíche Dé hAoine a bhí ann. D'fhanfadh sé go dtí níos déanaí, agus ansin . . . Múchadh an solas in airde. Bhí sé an-déanach nuair a lasadh arís é. Marc a bheadh ann anois siúráilte. Dá seasódh sé féin laistiar den teach, agus píosa guail a chaitheamh in airde i gcoinne na fuinneoige, chloisfeadh Marc é. Sháigh sé cúpla píosa beag guail ina phóca, agus amach leis, agus isteach i ngairdín Mhairc. An chéad phíosa a chaith sé, ní dheachaigh sé chomh fada leis an bhfuinneog. Ach an dara píosa, bhain sé cnag ceart as an ngloine. Chuala sé an fhuinneog á hoscailt. Bhrúigh sé isteach i gcoinne an fhalla, le heagla nach é Marc a bheadh ann.

"Cé a dhein é sin? Cé atá ansin?" Is é Marc a bhí ann. Sheas sé amach.

"Fuist! Mise atá ann!"

"Cé thusa?"

"Mise! Máirtín!"

"Máirtín!"

"Fuist, a Mhairc – gabh amach chugam – beidh mé sa tseid i mo ghairdín féin. Ná habair le héinne é." Níor fhan sé a thuilleadh, ach d'éalaigh go ciúin ar ais ina ghairdín féin, agus isteach sa tseid. Dhá nóiméad ina dhiaidh sin bhí Marc chuige isteach.

"A Mháirtín, in ainm Dé, cad atá ar siúl agat anseo amuigh an t-am seo d'oíche? Nach dtiocfá isteach chun an tí chugainn?"

Mhínigh Máirtín dó cad a tharla.

"Chaitheas fágáil. Ní fhéadfainn fanacht san árasán sin nóiméad eile. Ach an rud atá do mo mharú, bhí socraithe agam fágáil, agus Rex a thabhairt liom – ach bhíos ródhéanach. Ó, a Mhairc, conas a d'fhéadfadh sí a leithéid a dhéanamh le madra bocht!

"Chualasa i dtaobh bean eile a dhein é, mar gur rug an madra greim ar a leanbh. Arís, ní raibh aon leigheas ag an madra air – ní raibh taithí ar leanaí aige, agus tháinig an leanbh ag priocadh air laistiar, agus cheap an madra gur madra eile a bhí ann agus thug sé snap air."

"Mar gheall ar leanbh – thuigfeá di sin – ach ní raibh i gceist anseo ach cos chaoireola! Ba mhaith an leithscéal aici é. Bhí an ghráin aici air ó tháinig sé."

"Ach cad atá tú chun a dhéanamh anois, a Mháirtín?"

"Fanacht anseo."

"Go deo, deo?"

"Go dtiocfaidh Daid agus Mam abhaile."

"Beidh d'Aint ar do lorg."

"Is cuma liom."

"Cuirfidh sí na gardaí ar do lorg."

"Cuireadh."

"Tiocfaidh siad go dtí an teach."

"Agus cífidh siad dúnta suas é. Ní chuimhneoidh éinne ar an tseid."

"Ach beidh siad ag fiafraí timpeall. Caithfir fanacht anseo istigh i gcónaí."

"Bhuel, fanfad – i rith an lae go háirithe. Bhí imní orm conas a d'fhéadfainn Rex a choimeád ciúin anseo nuair a chloisfeadh sé Rover s'agatsa ag sceamhaíl, ach anois . . . "

"Ach caithfidh tú ithe!"

"Nílim ábalta ithe. Chuireas amach a raibh i mo bholg nuair a chonaic mé cad a tharla."

"Beidh tú níos fearr amárach. Féach, caithfeadsa imeacht. Dúirt mé leo istigh gur ag cur isteach mo rothair a bhíos. Ach nuair a bheidh siad go léir imithe a chodladh anocht, tiocfad chugat arís agus tabharfad liom mála codlata agus beagán bia."

"Ó ná labhair ar bhia liom."

"B'fhéidir go mbeadh ocras ort amárach. Agus caithfir fanacht anseo istigh ar feadh an lae, cuimhnigh. Ní fhéadfadsa teacht chugat go dtí oíche amárach. Fan bog – cad eile a theastódh uait – ladhar *chomics*? Níl tóirse agat, is dócha?"

"Níl faic agam."

"Cad mar gheall ar an raidió beag atá agamsa?"

"Chloisfí é ar siúl agam."

"Ní chloisfí. Tá cluasáin agam dó. Caitheann a bheith, nó mharódh Roger mé. Ba chuma liom, ach nuair a bhíonn sé féin timpeall, bíonn fothram ceart óna raidió féin."

Is minic roimhe seo a bhíodh Marc ag gearán le Máirtín mar gheall ar Roger, agus bhíodh áthas ar Mháirtín nach raibh aon deartháir aige féin chun é a chrá. Anois, áfach, ba bhreá leis dearth____ mór a bheith aige. Nach breá gur lig Roger do Mharc Rover a choimeád faoin leaba!

"A Mhairc," a deir sé anois.

"Cad é?"

"An bhféadfá féin teacht agus fanacht i mo theannta tamall?"

"Ba bhreá liom teacht, a Mháirtín, ach ní fhéadfainn é anocht. Ach oíche amárach beidh Roger ag dul go dtí dioscó, agus beidh sé an-déanach ag teacht abhaile dó. Fágann Mam an doras thiar oscailte dó, mar bíonn sé i gcónaí ag cailleadh a chuid eochracha. Féadfaidh mé fanacht tamall fada oíche amárach – ach anois caithfidh mé imeacht. Cífidh mé níos déanaí tú."

Bhí Máirtín leis féin arís. D'fhair sé na soilse sna tithe ag múchadh laistíos, ceann ar cheann, agus ag lasadh in airde staighre, agus ansin ag múchadh in airde staighre. Ní raibh ach solas beag i gcúpla seomra leapa fós. Tithe go raibh páistí óga iontu, is dócha – ar nós Aoife. Bhíodh solas beag ar siúl i gcaitheamh na hoíche ag Mam agus Daid ó tháinig Aoife.

Ní bheadh sé san árasán nuair a ghlaofadh Daid anocht. Bhuel, bíodh aici! Tugadh sí aon leithscéal is maith léi do Dhaid. Bí cinnte nach ndéarfadh sí leis gur mharaigh sí Rex, agus go raibh Máirtín imithe! Beag an baol!

Ansin chonaic sé chuige sa dorchadas an rud mór ainnis agus scanraigh sé go bhfaca sé gurb é Marc a bhí ann, agus éadaí caite thar a cheann agus a ghuaillí aige. D'oscail sé an doras agus lig isteach é. Bhí ualach ceart leis.

"Mála codlata le Pat atá i Sasana – ní bhraithfidh éinne imithe é, ruga ar iasacht ó Rover – is é bhíonn faoin leaba aige – thugas seanchasóg liom dó ina ionad. Agus tá bia agam duit."

"Ó, a Mhairc, nach ndúirt mé leat . . ."

"Ceapairí bagúin a bhí fágtha tar éis tae – táid ábhar tirim, ach nach cuma, buidéal bainne – ná bíodh imní ort, ar Roger a bheidh milleán ag Mam ar maidin, geanc eile aráin – tá smut ime istigh ina lár. Tá cúpla *comic* ansin leis, tóirse agus an raidió."

"Go raibh míle maith agat, a Mhairc – cúiteod é seo leat lá éigin."

"Éist, nár bhreá liom dá bhféadfainn fanacht i do theannta tamall, ach cífidh mé tú oíche amárach. Slán."

Chas Máirtín an ruga timpeall air féin. Bhí boladh madra uaidh a thaitin leis. Chuaigh sé isteach ansin sa mhála codlata, agus dhún suas go cliathánach air féin é. Shín sé siar ar an bpíosa cairtchláir. Is gearr gur bhraith sé é féin ag téamh suas. Ach fós ní fhéadfadh sé codladh. Chuir sé na cluasáin air féin, agus chuir ar siúl an raidió beag. Bhí ionradh á dhéanamh ar an Iaráic! Anois nuair a dhún sé a shúile, eitleáin a chonaic sé, iad féin agus a n-ualach pléascán ag imeacht trí na scamaill, agus an chéad rud eile, thit sé dá chodladh, agus bhí an lá geal ann nuair a dhúisigh sé agus an raidió ar siúl fós.

Bhí an ceart ag Marc. Lá mór fada a bhí ann. Níor chuimhin le Máirtín riamh lá chomh fada leis. Bhí áthas air anois go raibh an raidió aige agus na *comics*. . . Agus an bia, ar ith sé gach aon phioc de, agus fós bhí ocras air!

Maidin Dé Sathairn a bhí ann. Chonaic sé uaidh amach fir ag obair sna gairdíní cúil, mná ag cur éadaí amach ar an líne, leanaí óga ag súgradh, madraí ag tafann. Chonaic sé Rover ag rásaíocht timpeall le Marc, agus máthair Mhairc ag caitheamh cnámh chuige. Dhein Marc comhartha beag chuige i ngan fhios.

Siar sa tráthnóna, fuair sé boladh dinnéir á chócaráil, rud a mhéadaigh ar an ocras a bhí air. Bhí soilse á lasadh sna cistineacha. Bhí an oíche ag titim. Nuair a bheadh sé dorcha, rachadh sé amach – ní fhéadfadh sé fanacht cúngaithe anseo istigh de lá is d'oíche. Rachadh sé amach agus cheannódh sé sceallóga lena chúig phunt . . . Iasc agus sceallóga – fan, bheadh iasc ródhaor. Chaithfeadh sé a chuid airgid a spáráil, mar sin gheobhadh sé dúbailt sceallóg.

Chonaic sé seanchasóg mhór lena Dhaid ar crochadh ar chúl an dorais – casóg ar theastaigh óna Mham a chaitheamh amach. "Ná dein," a dúirt Daid. "Ní fheadaraís cén cúram a bheadh agam di fós."

Bhuel, bhí cúram aige féin anois di. Chuir sé air í. Bhí sí i bhfad rómhór dó, ach b'in é mar a b'fhearr é – ní aithneodh éinne é inti. Agus istigh sa phóca, bhí seanchaipín go raibh rian péinte air. Ba chuimhin leis Daid á chaitheamh nuair a bhí sé ag péinteáil síleáil na cistine san árasán fadó. Fadó, fadó.

Bhí na seanéadaí seo fuar agus tais, agus bhí fuarbholadh uathu, ach bréagriocht mhaith a bhí iontu. Amach as an tseid leis go ciúin, timpeall chliathán an tí, agus síos an tsráid.

Bhí aer breá te ina choinne amach sa siopa sceallóg, agus boladh breá rósta, ach ní raibh cuma rófháilteach ar an bhfear a bhí taobh thiar den chuntar.

"Cad atá uait?" a deir sé go doicheallach.

"Sceallóga," a deir Máirtín, "ar a dhúbailt."

"An bhfuil a luach agat?" a deir an fear go hamhrasach.

Thaispeáin Máirtín bonn puint dó. Shnap an fear uaidh é agus scrúdaigh, chuir sa scipéad é agus thug an tsóinseáil ar ais dó.

"Beidh siad ullmhaithe agam duit i gceann cúig nóiméad. Féadfair fanacht leo lasmuigh."

"Táim ceart go leor anseo," a deir Máirtín, nó bhí teas an tsiopa go hálainn.

"Lasmuigh, a dúirt mé," a deir an fear go borb, "ní theastaíonn aon *knackers* uaim anseo istigh."

Chuaigh Máirtín amach. Ba mheasa arís a bhí fuacht na casóige tar éis teas an tsiopa. *Knacker* – tincéir – a cheap an fear a bhí ann. Bhuel, b'in bréagriocht mhaith – ach nár ghránna an bealach a bhí aige le lucht siúil, gan chúis gan ábhar. Nach breá nach raibh aon locht aige ar a gcuid airgid!

Láimhsigh sé a chuid sóinseála – bhí formhór an phuint imithe, gan fágtha aige anois ach trí phunt eile. Chomhair sé an t-airgead. Cad é seo – bhí sé fiche pingin gearra. Chomhair sé arís é. Sheiceáil sé luach na sceallóg ar an bhfalla istigh. Sea, bhí sé gearra sa tsóinseáil.

"Haigh, tusa!" a bhéic an fear istigh air. "Tá seo ullmhaithe."

Isteach le Máirtín agus thóg uaidh an páipéar sceallóg.

"Gabh mo leithscéal," a deir sé, "ach ní dóigh

liom go bhfuaireas an tsóinseáil cheart," agus thaispeáin sé na pinginí a fuair sé don fhear. "Féach, táim fiche pingin gearra."

"Beir leat do chuid sceallóg agus fág mo radharc," a deir an fear go mallaithe.

"Ach féach, comhairigh é tú féin."

D'ardaigh an fear a dhorn chuige.

"Cuir díot nó is duit is measa – nó ar mhaith leat go gcuirfinn fios ar na gardaí chugat?"

D'imigh Máirtín leis go maolchluasach. Na gardaí! Bheadh a thuairisc acu faoin am seo. Bheadh beirthe air. Thabharfaí ar ais chun an árasáin é. Chuirfeadh sí siúd faoi ghlas ina sheomra é, b'fhéidir as sin amach. Aon bhean a mharódh Rex bocht, ní fheadaraís cad a dhéanfadh sí. Choinnigh sé na sceallóga te laistigh dá chasóg agus bhrostaigh ar ais go dtí an tseid. Chaith sé de an tseanchasóg, chuaigh isteach ina mhála codlata agus d'ith iad. Bhíodar ábhar fuar faoin am seo, agus bhí an iomarca salainn orthu, ach fós d'íosfadh sé oiread eile acu dá mbeidís aige.

Bhí sé déanach go maith nuair a tháinig Marc.

"Táim ag bailiú ar feadh an lae," a deir sé, "beidh picnic cheart againn – féach, dhá bhuidéal chóic, brioscaí, ceapairí, mála *Taytos*, agus arán agus bainne i gcomhair an lae amáraigh. Ach fan go neosfaidh mé duit – an bhfuil a fhios agat cé a thug cuairt orainn inniu? Í féin, d'aint. Í ag fiafraí de Mham an bhfaca sí aon dé díot. An-imní uirthi fút. Imní ar Mham leis. Ach is dóigh le Mam gur imithe go Sasana atá tú go dtí do Dhaid."

"Is ann a rachainn leis dá mbeadh an t-airgead agam."

"Nach nglaofá air agus chuirfeadh sé chugat é."

"Ní chuirfeadh. Déarfadh sé liom bheith i mo bhuachaill maith agus fanacht le m'aint. Ach dá mbeadh an t-airgead agam rachainn sall chuige, agus chaithfeadh sé ligean dom fanacht ina theannta ansin."

"Tá airgead ag Roger – agus tá a fhios agamsa cá gcoinníonn sé é."

"Goid a bheadh ansin."

"Féadfaidh d'athair é a thabhairt ar ais sula mbraithfidh Roger uaidh é. Ní fhéadfaidh tú fanacht rófhada anseo, a Mháirtín. Cífidh duine éigin tú. Tá na gardaí leis ar do lorg. Féach, fág fúmsa é. Má fhéadaim in aon chor é, beidh an t-airgead sin agam duit oíche amárach, agus féadfair imeacht luath maidin Dé Luain. Tá an seoladh agat, nach bhfuil?"

"Tá."

"Bhuel mar sin, tá sin socraithe. Anois, an phicnic!"

Bhíodar ag ithe is ag ól is ag cadráil leo, nuair a stad Marc go tobann.

"Féach!" a deir sé.

"Cad é?"

"An solas i mo sheomra leapa in airde! Tá Roger tagtha! Ní dheachaigh sé go dtí an dioscó!"

"Cén díobháil?"

"Nach dtuigeann tú? Tá an bolta curtha aige ar an doras cúil. Táim iata amach aige."

"Bhuel, nach bhféadfair fanacht anseo i mo theannta go maidin – nó an ea go mbraithfidh Roger as do leaba tú?"

Chroith Marc a cheann.

"Mo mháthair," a deir sé. "Nuair a rachaidh mo mháthair isteach sa seomra chun glaoch orm ar maidin chun Aifrinn, agus nach mbeidh mé sa leaba . . . Caithfead fáil isteach sa teach anocht, a Mháirtín."

"Ach conas?"

"Fan. Tá fuinneog an tseomra folctha oscailte. Agus tá an phíb ón leithreas ag gabháil suas in aice léi. Dá bhféadfainn dreapadh in airde . . ."

"Ar dheinis riamh cheana é?"

"Níor dheineas, ach chonaic mé á dhéanamh

go minic ar theilifís a leithéid."

"Dá gcuirfimis an *bin* in aice leis, agus go seasóinnse ar an *bin*, agus go seasófasa ar mo ghuaillí, ní bheadh ach achar gearr le dul agat ar an bpíb."

"An-phlean. Fanfaimid tamall eile go mbeidh an codladh trom ar Roger."

D'fhanadar – agus ansin, deas ciúin, chuadar isteach chun an ghairdín, agus thógadar an *bin* sall in aice leis an bpíb. Ceann nua stáin a bhí ann, agus bhí sé láidir, stóinsithe. Chuaigh Máirtín in airde ar a bharr. Ach ní raibh sé ró-fhurasta do Mharc dul in airde ar ghuaillí Mháirtín. An chéad uair a thriail sé é thit sé anuas ar an talamh. An dara huair thit Máirtín. An tríú huair, thiteadar araon – agus an *bin*, agus rollaigh an *bin* trasna an chosáin. An fothram a dhein sé! Cheapadar siúráilte go mbeadh Roger san fhuinneog – ach ní raibh.

"Is maith an rud gur i dtosach an tí atá Mam agus Daid ina gcodladh!" a deir Marc.

Bhí sé fuar amuigh sa dorchadas. Dá olcas í an tseid, bhí fothain ann, agus bheifeá breá te istigh sa mhála codlata.

"Nach bhfanfaimis sa tseid go maidin?" a deir Máirtín. "Dúiseoimid luath. Beidh sé níos fusa é a dhéanamh leis an lá."

"B'fhéidir gurb amhlaidh a chodlóimis

amach é," a deir Marc, "agus bheimis araon teanntaithe ansin."

Thugadar faoi arís. Sea, d'éirigh leo an turas seo, agus ghreamaigh Marc an phíb, agus thug faoi é féin a tharraingt in airde – ach níor éirigh leis an bpíb meáchan Mhairc a thógáil! Dhá throigh in airde a bhí sé nuair a bhog sí amach ón mballa, agus do bhris, agus tógadh le Marc agus leis an bpíb, agus leagadh anuas ar an stroighin iad! Ar a slí anuas di, leag an phíb Máirtín, agus an *bin*, agus cuireadh an *bin* ag rolladh arís trasna an chosáin. Agus mar bharr ar an donas, nár thosaigh Rover ag tafann!

D'oscail an fhuinneog in airde.

"Cén diabhal útamála atá ar siúl ansin thíos?" a deir Roger. "Bí amuigh as sin, a mhadra. Má théimse síos chugat cuirfidh mé deabhadh amach ort!"

Dhún sé an fhuinneog arís.

"Ní fhaca sé sinn! Cheap sé gur madra a bhí ann ag gabháil don *mbin*!" a deir Máirtín.

Níor fhreagair Marc. Anonn le Máirtín chuige. Bhí Marc sínte siar, gan anam ná brí ann!

"A Mhairc, a Mhairc, nach gcloiseann tú mé?!" Ach ní raibh gíog as Marc! Scanraigh Máirtín.

"Haigh, Roger, Roger," a bhéic sé in airde, "tar anuas go tapa."

Ach níor fhreagair Roger é. Ní foláir nó bhí sé imithe ar ais a chodladh.

Rug Máirtín ar chlúid an *bhin* agus thosaigh á pléascadh i gcoinne an bhalla, ag iarraidh chuile shórt fothraim a dhéanamh. D'oscail an fhuinneog in airde arís.

"Cad é sa diabhal atá ansin thíos?" a deir Roger.

"Mise, Máirtín, atá ann. Tar anuas, más é do thoil é."

"Máirtín? Cén Máirtín? Cad atá uait an t-am seo d'oíche?!"

"Mise Máirtín, cara Mhairc – agus tá Marc anseo – agus tá sé gortaithe – ó, tar anuas tapa – tá eagla orm go bhfuil sé marbh!"

Bhí Roger chuige anuas láithreach, agus Rover ag tafann ina dhiaidh, agus athair agus máthair Mhairc ina ndiaidh sin. Liútar éatar ceart ansin; dochtúir, otharcharr, Marc á iompar isteach ann ar shínteán, agus á bhreith chun an ospidéil, Roger imithe ina theannta.

Ina dhiaidh sin sa chistin cheap Máirtín go mbeifí milleánach air féin mar gheall ar an tionóisc, ach is é athair Mhairc a fuair é óna mháthair.

"Tá an phíb sin ar bogadh ó thánamar chun an tí! Dúirt mé leat seacht n-uaire féachaint chuici!" a deir sí leis.

"Na tógálaithe ba cheart í a shocrú," a deir sé sin, "tá sí taispeáinte agam dóibh arís agus arís eile, agus ghealladar go diongbháilte dom go socróidís í!"

"Ba cheart duit féin í a shocrú, agus gan a bheith ag brath orthu. Dá mbeadh sí daingnithe i gceart don bhalla, ní tharlódh sé seo."

"Dá mbeadh de chiall ag Marc gan a bheith ag aithris ar chleasa teilifíse, ní tharlódh sé seo," a deir an t-athair.

"An bhfuil an cócó sin ólta agat, a Mháirtín?"

a deir an mháthair. "Téanam ort mar sin, féadfair codladh i leaba Mhairc anocht."

Shocraigh sí suas sa leaba é.

"Tá an-aithreachas orm, a Bhean Uí Mhurchú," a deir sé, "mise faoi deara chuile shórt."

"Fuist! Dún do shúile anois agus téigh a chodladh duit féin," a deir sí leis.

Ach ní fhéadfadh sé codladh. Bhí sé ró-thrína chéile. Shín sé a lámh faoin leaba go dtí Rover, agus chuimil sé é. Thosaigh Rover ag lí a láimhe . . . Chuimhnigh sé ar Rex. Bhris an gol air. Ghoil sé mar gheall ar Rex, mar gheall ar Mharc, mar gheall air féin agus an cás ina raibh sé, mar gheall ar Aoife, ach ainneoin na ndeor, nó b'fhéidir le faoiseamh na ndeor, thit a chodladh air.

Máthair Mhairc a dhúisigh ar maidin é, muga tae aici agus pláta tósta.

"Tá scéala maith ón ospidéal," a deir sí. "Tá Marc tagtha chuige féin. Comhshuaitheadh beag, sin a raibh air. Beidh sé ar ais abhaile chugainn tráthnóna."

D'éirigh a chroí ar Mháirtín – ach ansin thit sé arís. Bhí Marc ceart go leor, ach conas a bheadh aige féin?

"Bhíos ag caint le d'aint ar an bhfón. Bhí sí an-bhuartha fút."

Níor fhreagair sé.

"Tá sí ag teacht anseo."

"Ní theastaíonn uaim dul ar ais chuici."

"Ní fhéadfair fanacht sa tseanseid sin. . . "

"An bhféadfainn fanacht anseo? Chodlóinn ar an urlár nó aon áit . . ."

"Agus bheadh fáilte romhat – ach dhein d'athair socrú le d'aint."

"Má chaithim dul ar ais, imeoidh mé arís. Nílim chun fanacht aici."

"Ach cad chuige, a Mháirtín? Cheapasa gur duine deas í."

"Ach féach cad a dhein sí le mo mhadra."

"Cad a dhein sí le do mhadra?"

"Mharaigh sí é – le scian!"

"Ar dhein? Is ait é sin, mar cheapas gur chuala madra ag tafann agus mé ag caint léi ar an bhfón."

"Chualaís Rex ag tafann? Mar sin, níl sé marbh?"

"Gan dabht níl sé marbh! Cad a chuir é sin i do cheann?" a deir a aint a bhí anois ina seasamh sa doras!

Leis sin, bhrúigh Rex féin thairsti, agus léim sa mhullach ar Mháirtín sa leaba.

"A Mháirtín," a deir a aint, "cad a bheir duit imeacht mar sin? Ó, an imní a bhí orm fút! Agus d'athair bocht – chaitheas é a rá leis aréir.

Cad ina thaobh ar dheinis é?"

"Cheapas nuair a thánas abhaile ón scoil, agus nuair a chonaic mé an fhuil – agus an scian – agus nuair nach bhfaca Rex . . ."

"Ó, a Mháirtín – go ndéanfainnse a leithéid! Tá a fhios agam – scanraigh an fhuil tú – ach cheapas go mbeinn ar ais, agus í glanta agam sula dtiocfá, ach cuireadh moill ar an tréadlia."

"An tréadlia?"

"Chaitheas Rex a thabhairt chuige. Ar maidin, leis an ndeabhadh a bhí orm ag dul ag obair, dhúnas doras na cistine trí thionóisc ar bharr a eireabaill. Lig sé glam as, agus d'osclaíos tapa arís é, agus d'fhéachas ar an eireaball. Ní raibh ann ach gearradh beag. Níos é, agus chuireas díghalrán air, agus d'imíos liom. Ach nuair a thánas abhaile am lóin – an cruth a bhí ar an gcistin sin! Bhí an t-eireaball ag cur fola, agus tá a fhios agat an tslí a mbíonn Rex i gcónaí á chroitheadh – bhí fuil smeartha chuile áit aige. D'fháisceas ceirt ar an ngearradh, agus corda – chuige sin a bhí an scian – agus ghlanas na rianta fola – ach fad a bhíos ag glanadh, nár stróic sé féin an cheirt de féin, agus chuaigh timpeall arís ag croitheadh a eireabaill! Thuigeas ansin nach raibh ach aon ní amháin le déanamh – é a thabhairt go dtí an tréadlia go gcuirfeadh sé greim sa ghearradh a stopfadh an fhuil. Ní chreidfeá go dtiocfadh oiread sin fola as gearradh chomh beag leis! Cheapas go mbeinn ar ais leis, agus an áit glanta agam romhat, ach chaith an tréadlia dul amach ar ghlaoch práinneach, agus chaitheasa fanacht leis. Bhí sé a ceathair a chlog nuair a tháinig sé ar ais, an gcreidfeá é! Agus nuair a thánasa ar ais, bhíse imithe."

Ní fheadar Máirtín cad ba cheart dó a rá.

"Tá an-aithreachas orm, a Aint," a deir sé ar deireadh.

"Is cuma faoi anois," a deir sí, "tá d'athair ag teacht abhaile inniu."

"Mar gheall ormsa?"

"Ní hea. Bhí an obráid úd ag Aoife inné, agus tá sí ag teacht chuici féin go maith. Beidh sí in ann teacht ar ais go dtí an t-ospidéal i mBaile Átha Cliath i gceann seachtaine. Fanfaidh do mháthair ina teannta, ach beidh d'athair ag dul ar ais ag obair amárach." D'fhéach sí ar a huaireadóir. "Ba cheart go mbeadh sé anseo aon nóiméad anois. Tá do chuid rudaí agam sa charr, agus tá Rex agat cheana."

Sea, bhí Rex aige – istigh sa leaba – agus Rover faoin leaba ag ligean foghnúsacht mhallaithe as. Sháigh Máirtín a lámh faoin leaba chuige – ach níor ligh Rover í.

"Rover bocht!" a deir Máirtín, "tá formad air. Ná bac sin, a Rover, beidh Marc chugat abhaile tráthnóna!"

"Madraí!" a deir Aint Síle. "Féach mo sciorta! Tógfaidh sé mí orm an fionnadh a bhaint de! Agus dá gcífeá mo charr – agus mhóidíos nach ligfinn an seanmhadra sin isteach go deo arís ann!"

Aisteach go leor, ba chuma le Máirtín anois gur ghlaoigh sí seanmhadra ar Rex, bhí sé chomh sásta.